시는 사랑을 써요

各人各色 共同詩選集

시는 사랑을 써요

부크크

머리말

우리는 가끔 만나 차 마시고, 밥 먹고, 세상 사는 얘기하면서 지냈답니다. 공통점이 있다면 시인대학을 다녔다는 거, 그 한 가지뿐 그런 인연으로요.

그렇게 만나다 보니 뭔가 보람 있는 '일을 해보자'는 이야기를 나누다 진행하게 된 것이 바로 '공동시선집' 출판 작업이었지요.

그러면서 자연스럽게 '더불어 살아가는 **아름다운 세상 시**를 쓰는 사람들'에서 한 글자씩 따온 '**아세시**'라는 이름을 쓰게 되었네요. 말씀드린 대로 우리는 우연히 같은 시인대학을 나온 6기 시인을 중심으로 하는 선후배 11명의 시인이 자주 만나 수다 떨고, 그러다 보니 시에 관한 이야기를 나누게 되었고, 시에 관한 관심이 더 커지게 되었답니다. 이렇게 쓴 시들을 몇 편씩 모아 공동시선집을 내기에 이르게 된 것입니다.

독자 여러분들께서는 여기에 실린 시들을 읽으며 "그렇지! 그거야! 맞아!" 하며 맞장구를 칠 수 있기를 바라며, 어려운 생활 속에서 등불이 되고 따뜻한 위로와 한 줄기 마음의 평화를 갖게 되기를 소망합니다.

'아세시'의 첫 공동시선집을 선보이면서 대한민국 지식포럼 시인대학에서 같이 시를 쓰고 시집을 발행할 수 있게 늘 관심 있게 지켜봐 주시고, 지도해 주신 박종규 교수님께 진심으로 감사함을 전합니다.

여기에 실린 순서는 시집출간을 위한 기본 자료수집과 기초적인 편집을 맡은 김용회 간사에게 원고를 보낸 순서로 결정되었답니다. '시인됐다'라고 느슨해지지 말고 부지런히 시를 즐기고 써보시라는 의미를 담아서 말이죠. 정말 고맙습니다.

2024년 6월
11인의 〈아세시〉를 대신하여
간사 김용회 씀

차 례

화분들의 봄 소풍_전인자/ 121

비와 바람과 꽃_유정아/ 137

안개비_김용회/ 151

에필로그/

내 안의 당신_한경숙

시인 한경숙 프로필

대지문학 동인
대한민국지식포럼 전략이사
대한민국지식포럼 시인대학 수료(6기)
자연힐링센터 깊은 산속 황토온돌방 대표
㈜비엔비코리아 이사
㈜로하스대표

수상 〈느낌까지 끌어안은 시화전〉 우수상

시집 『가슴앓이』
공동시집 『벼랑에 핀 꽃』
『시는 사랑을 써요』

사랑

울다가 웃다가
사는 동안
희로애락이
다 담겨 있네

구름처럼 포근한 적도
비처럼 쓸쓸한 적도
사탕처럼 달콤하기도
한약처럼 씁쓸하기도

나의 사랑은
무슨 맛일까?

또 하루가
사랑 덕분에
사랑 때문에
지나가는 중이다

제라늄

길을 걷다
남의 집 철문 앞에
널브러져 있는
너를 만나다.

순간
너에 꽂혀
나는
가던 길을 멈추고
너에게 빠졌지

잎이
심장 모양도 보이고
잎이
말발굽 모양도 있었지

넘 신기해서
쭈그려 앉아서
너와
많은 이야기를
나눴지

봄에서 여름으로
넘어가는 사이에
난
너를 만나
행복하다.

감자

이맘때면
만나곤 하는 아이

보슬보슬
하얀 분을
내뿜으며
나를 즐겁게 해 주지

흙 속에서부터
나와의 만남까지
긴 시간이 흘렀건만

늘 그 자리에서
그 모습 그 맛으로
나를 기쁘게 했구나

반갑고
또 만남에
기다림을 배운다.

비누

부드러운
하얀 솜사탕 거품에
황홀한 향기에
취한다.

깨끗함에
상큼함에
그리움에
또 한 번 취한다.

하루를
마감하며
다시 한번
이쁨에
취한다

편지

경숙아
잘 있니
끄적끄적
나에게 적어 내려가 본다.

잘해왔고, 잘하고 있고
앞으로도 잘살아 갈 거고
응원해줄래

왠지 부끄럽지만
그런 내가 이쁘기도 하단다
처음 다가가 보는
나한테 보내는 메시지
이 말을 해 주고 싶다

"참 수고했다.
한경숙으로 사느냐고…"
칭찬한다
많이 사랑해

내 안에 당신

고운 미소
가슴속 파고드는
그리운 당신

사랑 가득
피어나는 안개처럼
내 마음 또한 그대 곁에

보랏빛
아름다운 계절
꿈꾸던 꽃길
함께였던 마음

먼 듯 아니
가까운 당신

꽃가루 날리며
사뿐히 내게 걸어올
내 안에 당신

낙엽

옷을 다양하게 입고선
해마다 찾아오는 너

알록달록 이쁘게 입고
수줍음 많은 여인네처럼
슬며시 다가오더니만
어느새 저 멀리 달아나곤 하는 너
붙잡으려 뛰어가다가

떨어져 있는 너를 찾아보았지만
네 친구들 틈에서
찾다 또 찾다 돌아서 오곤 했지

이맘때면 네가 생각나고
그리운 건 왜일까?

노을이 호수에 잠길 때 - 전병덕

평범한 것
봄은 만삭입니다
노을이 호수에 잠길 때
봄을 요리하다
그대는 그 산을 넘어갔다
뭔가 보았다
춘설의 환청

시인 청운 전병덕 프로필

대지문학 동인
대한민국지식포럼 정회원
대한민국지식포럼 시인대학 수료(6기)
대지문학 편집위원, 대지문학회 부회장
패션회사 최연소 지점장 역임, 성미 핸드백 대표
주식회사 뭉크 코리아 대표,
뭉크 차이나 중국 공장대표
도지오 컬렉션 하얏트호텔 런칭쇼
농업회사법인 두레연 대표
대전약선음식 두레연 구품당 대표
현 대한민국 다도명장으로 활동
전통차문화연구원 운영

수상 대지문학상.
　　〈느낌까지 끌어안은 시화전〉 대상

시집 『설곡산 달빛』
　　『꽃이 피는 이유』
　　『어머니의 강』
공동시집 『벼랑에 핀 꽃』
　　　『시는 사랑을 써요』

평범한 것

평범한 것이 소중한 것입니다·
오늘도 신명 나게 만들어가면
그것이 기쁨이고 축복이고
행복일 것입니다
돌아보면 죄다 눈물이 나도록
아름다운 날들이었습니다.

봄은 만삭입니다

오늘같이 따사로운 날은
나 강가로 나갑니다

봄의 강물을 들여다봅니다
은밀했던 강물 속은
그동안의 시간을 구절구절 접어서
봄이 온 것에 대한 잉태를 했습니다

이제는 돌아오지 않으면 안 될 만큼
봄은 만삭의 강물에 출렁이던
그리움을 봄바람의 힘을 빌어
출산할 것만 같이 만삭입니다

산수유나무의 성글었던 가지에는
노란 밥풀을 한 볼텡이씩 물고
강물을 내려다보는 것을 보면
봄이 만삭이 된 것 같습니다

송사리도 잉어 떼도 가득하고
텃새들이 몸을 털기도 하고
강물은 만삭이 되었습니다

곧 만삭의 봄이 출산할 때
벚꽃이 난산할 때 오늘같이
햇살 좋은 날
우리도 축하하러
꽃놀이 갑시다.

노을이 호수에 잠길 때

저녁 바람이 볼기짝을 때리듯
노을도 호수에 잠겨 넘치는 것 같다

사람들은 그 모습을 아름답다 못해
몽환적이라고 말한다

내면에 알 수 없는 단어들은
노을이 빠진 호수에 둥둥 떠 있다

한 쌍의 물오리가 크게 발성을 한다
그 단어들을 뭔지 알아들었는지
꽥꽥꽥
소리 지르면서 해석을 해준다

호수에는 별들이 내려앉기 시작하고
달빛에 매실 꽃잎들 호수를 건널 때

나는 아침이 오기만 기다린다
아침이 오면 어젯밤 꿈들을 詩로 쓸 것이다

봄을 요리하다

쓸쓸했던 고요가 쓸려가고
어슴프레한 새벽에 간간이
부지런한 철새 떼가 떠날 채비를 한다

부엌에서는 벌써 밥상이 차려진다
봄나물을 조물조물 무치는 소리가
고소한 참기름 냄새랑 들린다

봄나물 밥상이 차려지고
얼렁 밥 먹자는 소리가 들린다

둥그런 밥상은 어느새 여럿이
말없이 밥 먹는 소리만 들린다

쑥국의 향기가 된장국이 되어
어머니의 향기로 나를 건강하게 한다

나는 국그릇의 마지막 한 방울도
남기지 않고 어머님께 죄송했던
슬픔을 모두 삼킨다

그대는 그 산을 넘어갔다

춘설이 수북하게 폭설이 내리고
내가 사는 동네를 모두 삼켰던
순백의 독한 이빨을 드러냈던
엄동설한도 끝까지 쌓일 듯했습니다

3월이 오고 계곡마다
폭포가 힘을 내는가 했는데
한순간에 당신은 녹아 없어질 줄 알았는데
운이 좋게 그 산을 넘어가는 걸 보았습니다

어제는 가벼운 걸음으로
그 산 아래를 걸었습니다
얼어 죽은 것만 같던 나뭇가지들이
녹두 알 만하게 초록 미소를 품은 것이
가지마다 수없이 매달려 있는 걸 보았습니다

그렇게 당신을 떠나보내는
의식을 할 때 나무들의 눈빛과
새들의 눈빛을 생각하니 내 눈에는
어느덧 눈물을 흘리고 말았습니다

그대를 보내는 마음으로
그 산에 갔을 때 그 산은 벌써
나무들의 가슴을 풀어헤치고
울음도 모두 잊어버렸습니다

그렇게 아름다운 3월이 오는
의식을 마치고 그대로 행복하게
좋은 친구처럼 한없이
사랑하며 살기로 했습니다

뭔가 보았다

뭔가 보았다
철새의 군무를 본 것 같다
꽃을 피우려는 망울들의
실눈 뜬 모습도 보았다

며칠간의 우중충한 흐린 날의
기운 들을 거두고 나서
차가운 바람의 기운으로 시샘한다

시골에서 농사짓는 늙은이는
봄을 기다리느라 벚나무 그림자에
기대어 죽은 나뭇가지를 자를 준비를 한다

마당 귀퉁이 돌 틈에 심은
두견화가 입술을 내밀고
실눈 뜨고 주변을 살필 때
길고양이 한 마리가 비웃고 지나간다

봄은 그렇게 여러 가지 색깔로
뛰어오는 소리가 시끄럽게 들린다

춘설의 환청

좋아 죽겠다는 심정으로
오늘 그곳에 갔다

텅 빈 숲은 아직도 전율하는 듯하다
어제 춘설의 겨울 막바지를 그렸다

그래서 그런지 적막함이
품어준 생명이 눈빛
부드러운 바람의 진통으로
영혼의 외로움 같이
온순하게 녹아내렸다

촉촉해진 땅에서는
소리가 들린다
입맛 다시는 소리도 들리고
눈을 비비는 소리도 들린다

나는 그 소리를 요리한다
새콤 달달한 맛을 요리한다
그래야 봄이 맛있다

햇볕 따뜻한 언덕의
비얄 밭에서 봄 향기가 난다

좋아 죽을듯한 심장으로
하늘 깊숙이 날아오르는
까마귀도 보았다

골짜기에 아직도 남은 잔설이 녹고 나면
산의 신음과 숨결과 봄의 화음으로
왈츠가 들릴 것만 같아
어느새 내 가슴에는 사랑의 싹이 튼다

새벽을 연다_정철훈

기도

님 소식

나는 어디에

마음

완벽

글

새벽을 연다

시인 정철훈 프로필

대지문학 동인
대한민국지식포럼 정회원
대한민국지식포럼 시인대학 수료(6기)

수상 대지문학상
〈느낌까지 끌어안은 시화전〉 대상

시집『**지금 나 여기에**』
　　　『**파랑새 날개짓**』
공동시집『**벼랑에 핀 꽃**』
　　　　『**시는 사랑을 써요**』

기도

건강 행복 손에 쥐고
밤새 길을 헤맨다.

-해야 떠라-

손에 쥔 네 글자
주인 찾아 줄 수 있게.

님 소식

별똥별 떨어지는
찬란한 이 밤에
노랑나비 한 마리
내 어깨를 건 들린다.

보고 푼 그 사람이
나비가 되었나!

꿈을 꾸면 당신 볼까.
긴긴밤 눈을 감고
몇 날 며칠 애태우니
나비 되어 소식 주네

여보. 나도
함께한 세월 하나둘 지워지니
당신 곁에 갈 날이 가까이 있소

아~

아름다운 이 밤
개구리 합창 소리가
오늘따라 정겹게 들리는구나.

*본 시는 먼저 하늘나라로 떠나가신 부인을 그리는 어느 노
인 이야기를 시적 표현으로 바꿔 쓴 것임.

나는 어디에

생겼다 사라지는
보기 좋은 허울이
인생이 아니던가!

마르지 않는 시간

말씀 속에 진리가 있어
말씀 듣고 나를 찾고

노래 속에 삶이 있어
노래 듣고 나를 찾고

글 속에 내가 있어
글을 읽으며 나를 찾는다.

*김형석 교수님의 기도문을 읽고서…

마음

당신 가슴에
마음 정거장이 들어있다면
내가 떠나있는 이 시간
중요치 않소!

마음이 정차하면
가슴이 움직이고

가슴이 움직이면
사랑이 자리 잡으니

당신 가슴에 정거장
내가 자리 잡은 정거장이길!

완벽

완벽이란 끈을 잡고 산 이들 힘들어한다.
완벽에 목숨 건 이들 괴로워하고

완벽에 기댄 이들
완벽에 정 준 이들

완벽과 함께한 긴 세월

이들은 힘들었고
이들은 병들었고

인생에 완벽은 필요치 않다

이해와 타협하며 살면 될 것을
어리석음에 피곤이 살았구나!

지금 이들
완벽과 이별이 필요하다.
내일은 이들
완벽과 이별이길

글

소리 없는 청진기
안 들리는 청진기
당신의 글 속에
거울이 들어있네.

글을 접하니
얼굴이 보이고
글을 접하니
안부가 전해지고

소리로 전함도 소중하지만
무언의 검은 점. 검은 줄이
반갑고 고맙고 정겹구나.

글 몇 자에게 다 보이니
소리 낼 필요 있을까.
건강 행복 단어는 맨 앞줄에 세워
굵고 크게 보이면 거울인 것을

새벽을 연다

어둠 속에서도 빛을 찾아가는
강인한 마음으로
새벽을 연다.

시간의 압박에 굴복하지 않고
오늘도 용기 있는 행동으로
새벽을 연다.

잠들지 않는 꿈과 열정을 가진
창조적인 정신으로 오늘도
새벽을 연다.

희망 품은 새벽은
언제나 내게 다가오고
나
오늘도 새벽을 연다.

여보의 꽃다발 _박현자

시인 박현자 프로필

대지문학 동인
대한민국지식포럼 정회원
대한민국지식포럼 시인대학 수료(6기)
원광디지털대학교 한방건강학과 졸업
보훈청 복지과 근무
종로 동광한복 운영

수상 〈느낌까지 끌어안은 시화전〉 최우수상
　　　대지문학 신인상

시집 『꿈은 이루어지다』
공동시집 『벼랑에 핀 꽃』
　　　 『시는 사랑을 써요』

여보의 꽃다발

어느 봄날
여보와 산에 갔다
말수가 적고 재미없는 여보가
한참 바삐 산을 돌더니

종합세트 꽃다발을 짜잔~
하며 내 가슴에 안겨준다

너무 좋아하면서도,
뭐지… 재미없는 여보가 아니었네
멋진 남편으로 마음이 바뀌었다

여보
보고 싶다
나도 당신만 사랑했어

현충일

현충일이면 마음 편히 우는 날
울고 싶어도
키워 주신 큰어머니께 혼날까 봐 참고 참아
현충일은 마음 놓고 우는 날

아버지 이름만 봐도 슬프고
사는 게 힘들다고 푸념도 하고
잘 버티고 살게 해 주시라고
부탁도 하고

하늘 간 엄마와
더 좋은 세상 가시라고
눈물의 기도

이 딸도 노인 되어
남은 생,
잘 정리하고 가려 합니다
그립습니다
아버지 어머니

진눈깨비

눈이 내린다
진눈깨비라고 비와 눈이 섞여 내린다

왜 그러지
겨울, 아니 봄

기다려진다 꽃피는 봄이
모란, 살구, 산수유
색색 꽃들이

봄이 왔다고 정확하게 알려준다

손주들

아침에 눈을 뜨면 7시
손주들을 깨운다

진수. 할머니 조금만 더 자면 안돼요
진영. 할머니 가는 날이에요 안가는 날이에요
할머니 가는 날이라고 하니
아이, 안가는 날이었으면 좋겠는데 안가면 안돼
요?

간신히 달래서 치카치카
밥 먹어라, 옷 입어라, 차 늦겠다

입이 아프도록 속이 터지도록
아침은 전쟁이다

봄 소리

봄이 오는 소리가 난다
땅속에서도
나뭇가지에서도
어서 나가고 싶다고 재촉이라도 하는 걸까

할머니, 꽃이 나오려고 해요
어린 진수에게도 빼꼼 나온 핑크빛
반가운가 보다

방해꾼 꽃샘추위
너는 없어야 할 텐데
봄이 너무 빨리 가요

아직 겨울로 머물고 싶은데
여름이 오려나 봐요

빼꼼 내밀던 꽃들이 가고
앙상하던 나뭇가지에
잎들이 제법 나풀거리네요

산나물 따러 오라는 청산도 응수 오라버니
두릅, 고사리, 엄나무 순 천지가 나물이라는데
너무 멀어서 어찌 가나요

옛날이었으면 차 끌고 갈 텐데
이젠 나도 연식이 좀 되었나 봐요

가족

나이 칠십, 세상이 보인다
그동안 세상이 바빠 나는 보이지 않았는데
나이 먹고 망가진 내가 보였다

아이들 모두 제 갈 길 가고
책임질 가족도 이젠 없어

지나간 세월 돌아보니
참 열심히 산 것 같다

어린 나이에 시집와
홀로된 시할머니 시어머니 시동생 그리고 남편
이렇게 나는 가족이 생겼다
가족이 없던 나에게 울타리가 생겼다

가난하고 힘든 시집살이도
멋진 신랑이 있어 그저 행복하기만 했다

힘없는 며느리에게
시집살이는 시어머님 특권
혼자서 많이도 울었다

달려간 엄마가 그리워서

시를 써야 하나

시를 쓰려고 펜을 잡으면
어디서부터 뭐라고
써야 하나

그냥 막 쓰면 된다고 하신
교수님이 생각나네

조금 배웠다고
이것도 안 되겠고,
저것도 안 되겠고
자꾸 막히네

시인은 아무나 되는 게
아닌가 보다

간월도가 바람났네 _김유정

나만의 사랑
간월도의 오솔길
간월도가 바람났네
쉴만한 그곳
부석사 가는 길
아이들의 천국
서쪽 하늘

시인 김유정 프로필

대지문학 동인
대한민국지식포럼 정회원
대한민국지식포럼 시인대학 수료(7기)
다복한 가정에서 학창시절을 보냄
외아들 홀 시어머님 모시고 살고 있음
현재 서산시 간월도에서 역마차 펜션 운영
글렘핑 캠핑장 겸업 중

수상 〈느낌까지 끌어안은 시화전〉 우수상

시집 『간월도 아낙네』
공동시집『벼랑에 핀 꽃』
        『시는 사랑을 써요』

간월도의 오솔길

서산 끄트머리 간월도에는
자그마한 학교가 있다

봄철에는 꽃길을
여름에는 정열의 길을
가을에는 고구마밭에 주렁주렁 결실을 길을
겨울에는 눈 쌓인 길을 매섭게 걸었던 길

주마등처럼 6년을 오고 갔던
간월도의 오솔길이
이제는 추억의 길이 되었다

나만의 사랑

사랑하는 남의 편 당신
한때는 남의 편만 든다고
투정하고
어머니의 남편이라고
투정했던 순간들

당신이 아니었다면
지금의 내 자리
나만의 사랑을 지킬 수 있었을까

묵묵히 자기의 길을
투정 한 번 안 하고 걸어온 당신
당신은 진정 나만의 영웅
존경합니다.

낮선 타향살이에 속마음
한번 터놓지 못하고 지내온 세월
간월도 캠핑장이 뭐라고

하지만 당신의 마음
저는 알아요
지인의 부탁을 거절 못 하고
일하러 가는 당신의 뒷모습
뒤돌아 오는 차 안에서
저는 속으로 한없는
눈물을 흘렸답니다

나의 소중한
나만의 당신을 사랑합니다.

지켜줘서 고마워요
이 세상 어디라도
당신과 함께라면 따라갈게요
자연인이 되고프면 어때요
여보 처음으로 불러봅니다.

당신 존경합니다
나만의 사랑 재성씨

간월도가 바람났네

간월도에 봄이 왔다
사그작 사그작
호미질이 분주하다.

간월도 아낙들이 바쁘다
바지락 캐며 평생을 살아온 세월
간월도 어머니들의 삶이
존경스럽고 맘이 숙연해진다.

여기저기 바지락 캐고
경운기가 실어나르며
간월도의 봄은 풍요롭다

올해도 풍년
간월도 어머니들의 미소가
제일 아름답다.

쉴만한 그곳

서해안에 가면 쉴만한 공간
사색에 젖어 영혼 여행하는 곳

아이들은 떠나고 텅 빈 폐교
어떤 예술가의 손에 닿아서
꽃이 피고 지고 낙엽 지던 자리
그곳이 바로 서해미술관이 되었다

봄이 움틀 때는 운동장 화단에
갖은 꽃들과 눈웃음치고
한여름 비 오는 날은 빗소리 벗 삼고

쌀쌀한 바람이 부는 날은
화목난로 피워놓고
울타리 알밤 주워 굽다가
지나는 객을 그리는
적당히 늙은 예술가의 차 한잔으로
몸과 마음을 쉬게 하는 곳

이곳을 찾는 모든 사람이
모두가 예술가로 변신하게 한다

늙은 작가의 정을 느끼며
지치고 힘들 때는 영혼의 쉼을
기다리는 곳 그곳으로 가련다
서해바다를 품은 서해미술관으로

부석사 가는 길

굽이굽이 산등성이
오르다 보면
고즈넉한 부석사가 있다

내려다보면 서해의 풍광이
무릉도원이 따로 없다.

바다 저 멀리 보이는
하얀 구름 너머에는
우리 친정 부모님 계신 곳 있으려나
소리 없이 불러본다.

법당에서 울려 퍼지는
부모 은중경 들으니
가슴속 울림 되어 오늘따라
부모님 생각이 간절하다.

고집 센 홀시어머니 모신다고
이 눈치 저 눈치 보느라
생전에 찾아뵙지 못한
슬픈 기억은 가슴에 멍울 되어
오늘따라 사무치게 그립다

아, 이내 심정 그 누가 알리요
40여 년같이 살아온
눈치 없는 서방님은
늦게 들어오더니 투덜거린다.

가슴속에 소리 없이 흐르는
눈물은 누가 씻어줄까
서둘러 생선 한 토막 구워서
시어머니 저녁상을 차린다

나도 참 속없는 여자다.

아이들의 천국

간월도에 가면
아이들의 천국이 있다

간월도의 마지막 학교
아이들의 재잘거림과
선생님들의 열정이 있는 곳
나는 그곳이 좋다.

나의 일터고 가슴 설레는 곳
어릴 적 선생님의 존재는
얼굴도 마주보기 힘들었는데
세월이 많은 걸 바꿔 놓았네

하지만 다정하게 학생들을
맞이하는 학교는 이곳이
마지막일 것 같다

10여 명이 전교생
몇 년 지난 후 폐교가 될 것 같다
선생님 숫자나
학생 숫자가 비슷하다

서쪽 하늘

서쪽 하늘로 노을은 지고
소리쳐 불러도 허공에
부서져 돌아오는 너의 이름
내 동생! 현철이

늘 오빠 같은 존재만으로
든든했던 내 동생

꽃 피는 봄이 오면 소풍 가자던
약속을 지키지 않고
서쪽 하늘 별이 된 너!

이젠 파란 서쪽 하늘만 봐도
눈물이 와락
사랑하는 내 동생

미안해요! 고마워요!

목련꽃 추억_이미소

봄이 오는 소리
봄바람과 희망
인생의 봄
봄을 기다리는 나
나의 봄날
목련꽃 추억
해마다 내게 오는 봄

시인 이미소 프로필

대지문학 동인
대한민국지식포럼 정회원
대한민국지식포럼 시인대학 수료(7기)
사회복지학 박사/교수
국민정서행복콘텐츠연구소 대표
이미소명강사아카데미 원장
전)연세대학교미래교육원 16년 책임강사
전)한국행복평생교육원 교육원장
전)해와달 부모자녀교육원 원장

수상 〈느낌까지 끌어안은 시화전〉우수상
　　　대지문학 신인상

시집 『이미소 박사의 행복한 동행』
　　　『봄이 오는 소리(전자책)』
공동시집『벼랑에 핀 꽃』
　　　　　『시는 사랑을 써요』
명언집『돌아보지 마(Don't look back)(전자책)』
공저『나이 해방일지』

봄이 오는 소리

봄이 오는 소리,
살며시 귀를 채우며
인생의 겨울을 녹이는 따스한 기운
살포시 내민 새싹처럼,
우리의 꿈도 피어나
지나간 시련 속에서,
새로운 시작의 노래를 부르네

매화꽃의 고운 향기처럼,
삶도 향기롭게
때론 바람에 흔들려도,
꿋꿋이 자리를 지키며
희망의 메시지를,
마음 깊이 새기며
봄날의 햇살 아래,
새로운 꿈을 꾸네

봄비가 내리면

봄비가 내리면
길 잃은 추억들이 하나둘 내게로 온다.
빗방울 소리와 함께
오래전 잊혀진 얼굴과 목소리들

친구들과 함께 했던 비 오는 언덕길
우산 아래 두런두런 철퍼덕 철퍼덕
유쾌한 웃음소리 귓가에 맴돈다

봄비는 마법처럼
지난 시간을 지금으로 불러내는구나
잠시 시간을 세워버리니 말이다
우리들의 웃음소리 눈물까지도

추억 속 발걸음은
아직도 그곳에 함께 걷고 있구나
봄비가 그치면 선명했던 기억도
서서히 다시 일상으로 돌아가겠지

봄비가 내리는 날은
과거와 현재가 만나는 특별한 시간
잊혀졌던 추억과 함께
소중한 보석을 다시 한번 찾아본다

내가 기억하는 어제와 오늘의 시간은
내 마음 깊은 곳에
그대로 남아 있기를 기대해 본다

인생의 봄

아름다운 시작에 서서
새롭게 피어나는 꿈들 사이로
마음의 눈은 녹아내리며,
새싹이 움트듯
부드러운 바람이 내게로 온다네

빛나는 태양 아래,
새로운 에너지가 껑충거리고
온 세상이 화려하게 다시 채워지듯이
우리의 삶도 더욱 풍요롭고 따뜻해지네
잃어버렸던 열정,
다시 마음속에 피어나

인생의 길목에서,
봄이 나에게 주는 이야기 하나 가득
사랑과 희망 담은 커다란 바구니로
새로운 시작을 맞이하라 알려주네

봄을 기다리는 나

깊은 겨울잠에서
새싹을 틔우는
조용한 소리와 햇살

햇살은 따스히,
꽃들을 부르고
나비는 춤사위로
봄에게 화답한다

사이사이 내 마음도
내게로 오는 새 봄에
그저 취하려 한다

아름다운 봄을
기다리는 나는
눈부신 마음으로 설렌다

나의 봄날

나의 봄날은
햇살 아래 피어난 첫 꽃봉오리 같다
얼음장 같던 겨울을 녹이며
살며시 새 생명의 숨결을 불어넣는다.

그리움이 쌓인 긴 겨울밤
별빛 아래 속삭임처럼
따스한 바람이 되어
내 마음의 창을 가만히 두드린다

나의 봄날은
흩어진 꽃잎 위를 걷는 기쁨
갑자기 찾아온 손님으로
온 세상이 새로워지는 순간

새싹을 틔우듯
나의 꿈도 조금씩 자라고
풍성한 꽃밭을 꿈꾸며
희망을 따라간다

나의 봄날은
기다림과 설렘 사이
새로운 시작의 약속으로
모든 것이 가능해지는 시간

해마다 찾아오는 나의 봄날은
언제나 나에게
사랑을 꿈꾸라 한다
그리고 미소로 살아가라 한다

목련꽃 추억

봄이 오면 마을 구석구석
목련 꽃 하얗게 피어오른다.
그녀의 조용한 발걸음이
목련꽃과 하루를 시작한다.

그녀의 손길에는 오랜 세월이 들어있고
목련 꽃잎에는 그녀의 노래가 서려 있다.
눈길 하나 발걸음 하나
세상은 그녀에게 곱다고 화답한다

목련 아래 그녀는 익숙한 가락으로 노래하고
흙냄새와 꽃향기 머금은 노래소리는
바람 타고 멀리 멀리
듣는사람을 따뜻하게 물들인다

그녀와 목련이 만드는 세상은
깊은 울림으로 따스함을 만들어 준다
무한하고 투박한 가슴으로
세상을 안아주는 그녀는
그저 소박한 이웃집 아낙네

실 눈뜬 그녀는 목련 꽃 너머로
저녁노을을 바라본다

목련꽃 바라보는 지금의 나에게는
잔잔한 추억으로 발길을 멈추게 한다
어릴 적 들었던 따스한 노래소리 말소리가
아득한 어린 시절 봄날을 그리워하게 한다

해마다 내게 오는 봄

해마다 봄날은
조용히 내 곁에 온다
노란 꽃, 푸른 하늘
어린 시절 꿈처럼

가끔은 바람에
흔들리기도 하지만
매번 내게 오는 봄은
희망으로 다시 피네

해마다 아지랑이로
 꽃 피우며
내 마음속에
봄을 그려내고 있구나

가을이 오는 소리 -권고광

시인 권고광 프로필

대지문학 동인
대한민국지식포럼 정회원
대한민국지식포럼 시인대학 수료(6기)
서울 영천교회 원로장로
한하운 문학관 정회원
한국장로 문인협회 정회원

수상 〈느낌까지 끌어안은 시화전〉 우수상
　　　고려 문학회 신인상

시집 『한 살의 선물』
　　　『베갯머리 쌓인 정』
　　　『고향의 풀 내음』
공동시집 『벼랑에 핀 꽃』
　　　『시는 사랑을 써요』

봄 약속

봄 오면 버선발로 맞이하겠다던
지난겨울 굳은 약속 잊어 버렸나

설 녹은 장독대 쌓인 눈 사이
매화꽃 봄소식 전해 왔다

양지바른 담장 아래 초록색 봄 처녀
내 마음 살랑 살랑 흔들어 놓고
봄 잔치 꽃 잔치 준비하라 속삭인다

봄 오면 예쁜 꽃씨 사랑 함께 심자며
동네방네 소문내며 내 손 잡고 빵긋

가을이 오는 소리

가을이 오는 소리 내 마음 설레고
핑크색 낙엽은 옛 님의 얼굴

빛 고운 낙엽 떨어지는 소리에
임 그리워 이 밤 어이 지새리

냇물에 흘러가는 고운 단풍잎
가을 소식 담아 바다에 알리고

가을 밤 귀뚜라미 우는 소리는
가을을 알리는 교향곡입니다

짝사랑

내 마음 나도 몰라 그대 생각에
그 얼굴 내 맘속 들어와 있네

억지로 아닌 척 외면해 보지만
내 마음속 그대 속일 수 없다

사랑하고 있으나 말할 수 없는
나는 벙어리 말 못하는 장애인

그대 주변 서성이며 스쳐 지나가는
애타는 내 마음 누가 알리오

날마다 애써 잊으려 해도
사랑은 마약인가 중독되었나

누구나 있을 첫 사랑의 추억
지나간 사랑은 추억인가 불치병인가

인생 러닝머신

러닝머신 타고 힘차게 달린다
어디까지 왔을까 얼마나 왔을까

무심코 내려 보니 제자리였네
열심히 달렸더니 몸은 천근만근
아직도 제자리니 갈 길 바쁘다

수많은 사람들 열심히 달린다
인생 러닝머신 타고 열심히 달린다

갈 길은 멀고 시간은 없는데
정처 없는 러닝머신 언제 벗어나나

어차피 인생길 러닝머신 아닌가
꿈같은 인생길 되돌아보자

공중목욕탕

공중목욕탕 에덴동산
걸친 것 없어도 부끄럼 없다

묻은 때 옷이랑 훌훌 벗어 던지고
탕 안에 풍덩 세상 욕심도

냉온탕 오가는 삶의 여정도
탕 안에서 맛보는 인생 체험장

알몸 빈손 쥐고 세상 왔으니
탕 안은 나의 옛 고향 아닌가

빈부귀천 없는 이곳이야
내가 그리던 에덴동산입니다

강아지

가족이 늘었다 예쁜 강아지
둥근 눈 짧은 다리 요상하게 생겼다

출근길 나서면 가지 말라 앙탈하고
퇴근하여 집에 오면 제일 먼저 반긴다

귀여운 손자 녀석 껴안아 주면
샘 많은 못난 것이 끙끙대며 보챈다

한식구로 살아온 지 얼마나 되었다고
내 사랑 깊은 정 다 뺏어버렸나

오늘도 우리 집 귀염둥이 못난이
너로 기분 좋은 하루가 지난다

붉게 타는 설악산

대지를 달구었던 불볕더위는
설악의 단풍나무 불 질러놓고
나 몰라라 말없이 떠나려 한다

산등선은 온통 단풍으로 붉게 타고
뜨거운 열기는 보는 사람 삼킨다

설악 찾은 단풍객 오색의 등산복
함께 어울리니 사람인가 단풍인가

붉게 타는 단풍잎에 내 마음도 붉게 타니
설악의 가을은 단풍의 명산일세

시는 사랑을 써요_박명남

시는 사랑을 써요
불끈 솟은 새싹
물 따라가다가
어부의 일생
드넓은 김제평야
남원 사랑
돌 징검다리

시인 월계 박명남 프로필

대지문학 동인
대한민국지식포럼 정회원
대한민국지식포럼 시인대학 수료(6기)
한하운문학관 정회원
한신공영 부회장
성균관대, 경복대 교수
공인회계사, 세무사, 경영학 박사

수상　대한민국지식포럼 신인 문학상(수필 부문)
　　　한하운 문학대상(시 부문)

시집『마음 心 봤다』
공동시집『벼랑에 핀 꽃』
　　　　『시는 사랑을 써요』

시는 사랑을 써요

어린 해 맑은
웃음 짓는 그 얼굴
잠들면 천사요

젊음은 싱그럽고
청순하며
마음이 청량하지

성숙 되면 그 모습은
더욱 힘 있고
빛을 발해

한 쌍이 되면
그 빛은 찬란하고
열기를 발휘

그 모습은 뭐라 해도
사랑은 시를 쓰는 것
아니 시는 사랑을 쓰지

불끈 솟은 새싹

봄이 오면 개울가
버들강아지
노래를 하고

앞밭 수선화
발을 쭉 뻗고
목련 뽀얀 솜털이 사르르

골짜기 얼음 밑으로 샘물이
졸졸 소리 내어 흐르며
봄소식을 전하지

우수가 오면
만물이 너도 나도
이 세상 살만하다
다투어 몸을 날려
봄을 노래해

새싹들의 노래 소리
가슴을 두드리는 오케스트라
세상에 울려 퍼져

물 따라가다가

우리가 사는 대지에
산도 있고 웅덩이도 있고
들판도 있고 개울도 있어

걷기에도 자연스런 오르내림이
강약을 높고 낮음으로
몸도 마음도 흐르지

비 오면 높은 곳에서 낮은 곳으로
흘러 개울이 되고 강이 되니
동식물이 춤을 춰

물은 모두를 수용하고
더불어 같이 가며
낮은 곳은 채우고 높은 곳은 돌아가

고요한 물은 마음을 가다듬고
파도치는 물에는 역동을 느끼며
동식물의 목마름을 해소하며
부드러운 손으로 세상을 어루만져

어부의 일생

인간이 태어나
이 세상에 머물며
이웃 생물과 더불어

먹고 자고 입는 일을
풍기는 생물과 같고

지상이나 바다에서
물질을 작업하여
허기를 채워

땅에서 물자를
바다는 어부의 목
폭풍우로 경험과 지혜가
모두 의식주 돼

무에서 유를 창출한다지만
마음대로 안 돼
쓸쓸함과 만족이 교차하지
그래도 몸을 불태워야 해

드넓은 김제평야

말없이 앉아있는 들판은
가도 가도 끝이 아른아른
해맑은 구름이 손짓하네

벽골제* 물이 시방으로 흘러
논을 적시니
물고랑이 노래해

저 멀리 아지랑이
털고 일어나면
황금 벌은 물결 춤추고

천여 년간 백성을 위하여
온몸을 다 받쳐
허기를 채워줘

생물이 목타는 것을
더 잘 알기로는
너뿐인가 하노라.

*벽골제: 김제평야에 있는 우리나라 최초의 저수지 둘
레를 쌓은 제방을 말하는데, 백제 11대 비루왕 (330
년)에서 시작하여 여러 번 개축하였다고 함.

남원의 사랑

태고에 생물은
자연을 좋아해
기대고 보듬고 주저앉아

어렵고 쓸쓸하고 우울할 때면
바람 소리 따라 광한루에 올라
휘파람을 불지요

봄이면 마음이
싱숭생숭 가다듬기 어려워
먼 하늘을 봐요

먼발치 숲속에
그넷줄이 어른어른
머리가 오락가락
마음잡고 사랑으로 인내

광한루의 연못에 비친
춘향과 이 도령의 자태는
절개와 의리의 표상이지

돌 징검다리

한여름 바지 걷어 올리고
시골 개울 건너는 느낌
발이 시원해 입이 벌어져

지금 버들 목련
할미꽃 수선화
땅에서 봄소식을 준비하고

개천에는 산 위에서
눈 얼음 녹아내려
뼈저린 물이 졸졸졸

매화 산수유 유채꽃
비 온 뒤에 맑고 고운
봄소식 바람에 알려 와

하늘의 흰 구름 8자 안경이
하늘과 돌다리 밑에 쌍둥이로
한 폭의 그림을 그려

새가 나뭇가지 앉아 지저귀며
자연을 노래하면
이보다 더한 행복 어디 있어

단 짐 보따리 메고
징검다리를 건너는 저 나그네
지금 어디로 가는지

화분들의 봄 소풍 -전인자

시인 전인자 프로필

대지문학 동인,
대한민국지식포럼 정회원
대한민국지식포럼 시인대학 수료(6기)
성균관대 사회복지대학원 졸업
㈜홍익관광복지재단 대표이사
전)공상유공자회 여성회장/감사
전)윤석열대통령직 인수위원회
　　지역균형발전특별위원회
전)전국사회복지대학원 총연합회장
　국민의힘 중앙위 사회복지분과위원장
전)전국사회복지대학원 총연합회장

수상　보건복지부 장관상(2012)
　　　대통령상(2014)
　　　〈느낌까지 끌어안은 시화전〉 우수상

시집『촛불을 켜세요』
공동시집『벼랑에 핀 꽃』
　　　『시는 사랑을 써요』

개같이 벌어 개한테 쓴다

얼마 전 고양 킨텍스 애견용품
박람회에 갔더니 입구에 쓰인 문구가
"개같이 벌어 개한테 쓴다"

얼마 전만 해도 개같이 벌어서
정승같이 쓴다고 했었는데

최근 찾은 애견용품 박람회
축구장보다 훨씬 큰 전 시장에
50만 원짜리 개 소파 유모차보다
개모 차가 터 팔리고 저출생 시대
개같이 벌어봐야 줄 사람도 없다는
말이 우스갯소리가 아닌 현실이다

애견용품 온 사람 압도적으로 여성이 많았다

60대 부부 사랑

늦은 시간 뭐하고
있는지 궁금하다
전화는 불통이고 잠시 후
따르릉 전화가 온다

목소리는 굴뚝에서
연기 나는 무뚝뚝한 소리
듣는 사람 귀 청소하고 싶다

여보야
서로 믿고 인생 마무리해야지
사랑하는 자기 마음
상하게 했다면 미안해
사랑해

천년만년 같이 가야 할
부부가 아닌가
사랑합니다

이른 아침 비둘기

이른 아침 비둘기들이 날아와
짝짓기를 하는가 보다
새들은 짝 집기를 하는데
권한은 암놈이 우선적이라 한다

세 마리가 날아와 마당을
종종종 걸을 치기도 하고
소리를 버럭버럭 지르기도 한다

암놈이 자리를 잡고 소리를
버럭버럭 소리를 지르더니 맘에
드는 남자친구를 데리고 어디로 가
멀리멀리 떠나고 만다

인정을 못 받은 숨 놈은 혼자서
고민에 빠지는 모양이다
혼자 앉아있는 것보다
짝을 찾아 둘이 다녔으면 한다

여의도 벚꽃 축제

여의도 벚꽃 축제가 지난 29일 개막해
2일까지 윤중로 일대에서 열린다

축제의 주제는
"봄꽃 소풍"

서강대교 남단 여의2교 입구와
한강공원 국회축구장을 캠 크니 존으로
꾸미곤 한다

벚꽃 축제 기간
눈살 찌푸리게 하는 경향도 있다
몇 푼 아낀다고 음식을 준비해서
돗자리 깔고 노래 틀고
소주와 막걸리를 먹고
정리도 안 하고 가는 사람도 많다

청소하시는 분들께서 이때쯤은
골머리가 아프다고 한다

당신이 멈춘 자리가
아름다워야 한다

저녁 식사 후
가족들과 벚꽃 구경하러 가봐야겠다

(故)시숙 어른의 이별

2023년 8월 6일
74세 생신날이다

점심 식사 드시고 부인을 불러서
나 같은 사람 만나 사느라고
고생했다 수고 많았다
네가 없으면 누가 병원에 데리고 다니냐…
걱정도 하곤 했지만
밤새 안녕 눈을 뜨지 못하고
이별을 하고 말았다
제삿날이 생신 날짜와 같게 되었다

중년 남자들에게
세상을 떠나게 되면
아내에게 무슨 유언을 남기겠냐 물었더니
'사랑한다, 미안하다'가 가장 많다고 한다

고마움과 미안함이 중첩되는 관계가
부부 사이 말고 또 있을까?
어떤 인연을 만나 살든
그 끝엔 이별이 있다

이제는 더 이상
미루지 말고
'사랑한다'라는 말
자주 해서 습관으로
승화시킬 수 없을까

화분들의 봄 소풍

실내에 있던 화분들을 깔끔하게
분단장하고 햇볕을 쬐게 하려고 외출한다

워낙 꽃을 좋아하다 보니
그네들이랑 친구가 되고
날마다 대화를 나누곤 한다.

큰놈 작은놈 아주 작은놈
몇 달 만에 바깥 구경을 시켜주니
마냥 좋은가 보다

물도 먹여주고
세수도 시켜주고
세찬 바람도 맞이해보니
너무나 좋아서 두리둥실 춤을 추고 있다

자연에 신비함이란
무엇하고 바꿀 수 있을까

세수 안 해도 이쁘고
분단장 안 해도 이쁘다

겨울에 따뜻한 곳에서
건강하게 자라줘서 고맙다

밉상의 꽃

밉상의 꽃
이유가 궁금하다

하긴 봄이 그렇다
여왕의 계절이 아니든가

마음이 싱숭생숭 들떠
때론 갈팡질팡이다

밉상의 꽃
원수의 봄이라고 했든가

피지 마라
저 꽃,
아, 밉상의 꽃

시냇물 소리만 졸졸졸졸졸졸
봄 아가씨 가슴은 갈팡질팡

피지 마라
저 꽃,
아, 진달래꽃

참새들 소리만 삐리리 삐리
3월로 건너가면 바람결에는
싱그러운 미나리 냄새가 풍긴다

비와 바람과 꽃_유정아

시인 유정아 프로필

대지문학 동인
대한민국지식포럼 부회장
대한민국지식포럼 시인대학 수료(6기)
이대 심리학 수료
중.고교청소년 심리학 강사
서울미래예술협회 부회장
독도문화 해설사
인천시 학부모 연합회장
흥사단 여성위원장
새얼문화재단 정회원

수상 대지문학 삼행시 최우수상
      〈느낌까지 끌어안은 시화전〉 우수상
      한하운문학 시 부문 대상
      시숲문학 시 부문 최우수상

공동시집『벼랑에 핀 꽃』
      『시는 사랑을 써요』

그리움

그리우면 별 하나
뜨는가 보다

사랑하면 꽃 한 송이
피는가 보다

한가로이 들녘 걷노라면
멀리서 종달새 노랫소리
들려오는 푸른 보리밭

꽃과 별 그리움 듬뿍 담아
하늘로 올려보낸 보고픈
그리운 어머니
감사와 사랑 노래 부르리라.

삶의 모습

삶이란
그냥 그렇게 무심히
세월 속에 흘러간다

머물 수 없이 흐르다 보면
오묘한 빛깔과 은빛 향기에 젖어
생의 한 자락에 자리한다.

어느 날 문득
모든 게 귀찮고
고달픈 힘든 날도 있을 테니

흘러가는 구름과 바람같이
떠나가는 우리네 인생
여유를 가지고 하늘을 본다

웃으며 살아가는 황금 같은
삶은 우리가 살아가는
진정한 이유가 되겠지

건강

건강하지 않으면
아무것도 이룰 수 없는
모든 것이 필요 없는 장식품

돈도 명예도
권력도 사랑도

몸과 마음을 평안하게
사는 바른길만이
행복으로 가는
곧은 길이다

부모 사랑

부모는 어디를 오나가나
자식만 생각한다

자식들 잘되기만
비는 마음 끝도 없는
애틋한 사랑이더라

부모는 오직 자식만을
위해 기도한다.

어머니

언제 들어도
언제 불러도
뭉클하고 포근한 낱말
어머니!

한 폭의 그림 같은
백발의 설화 꽃처럼
아름답고 행복했던 시절

젖은 손과 행주치마로
늘 바쁘게 사셨던 어머니

인생이란 한 번뿐인데
가족을 위해 희생으로만
사셨던 어머니

내 마음 깊은 곳에
은은한 달빛으로
남아 있는 어머니

이제는 세월의 물결에
주름이 얼굴을 감싸고

시간이 지나간 자리에
힘없이 백발로 누워
자꾸만 영원 속으로
기울어져 가는

사랑하는 어머니
그립습니다

비와 바람과 꽃

따스한 봄날 창문을 열면
베란다 앞 피어난 목련꽃
몽우리 우아한 그 자태

갖가지 꽃들이
피고 지고 돋아나는
새싹들은 가지마다
연초록 물감을 풀어
놓은 듯 어찌 저리도
고울 수가 있을까
아기를 눈 맞추듯이 예쁘다

한파의 시련을 이겨내고
고단한 우리네 삶을
위로하듯이 함박꽃으로
활짝 피어 모두를 반긴다

어려움을 잘 견디며
지혜롭고 소박하게

살다 보면
어언 행복도
내 곁에 가까이
자연의 순응함에
열매가 익어간다.

손 편지

삶의 모습을
순박하고 아름답게 그렸던
지난날의 손 편지

쉬는 날이면
오지 않는 먼 시골길
자전거 탄 우체부 기다리며
왠지 아쉬워했던 시간

전보나 편지가
지금은 사라졌지만

군대 갔던 동생
타향에 있는 친지
여고 시절 절친

그리운 부모님이
생각 나는 따뜻한
그 시절 손 편지

안개비_김용회

시인 평강 김용회 프로필

대지문학 동인,
대한민국지식포럼 정회원
대지문학지식포럼 시인대학 수료(5기)
대지문학 편집위원
네이버 블로그 '기문둔갑 읽어주는 남자' 운영
평강카운슬링센터 운영
동방문화대학교대학원 평교원 교수
한국전통과학아카데미 출강
평강한국기문초과학연구협회(평초연) 실무위원
욜로와 시니어TV 개국 준비위원

수상 대지문학상
〈느낌까지 끌어안은 시화전〉 대상
서울시의회 청소년봉사대상 의장상

시집『소년의 꿈』
공동시집『벼랑에 핀 꽃』
　　　『시는 사랑을 써요』
교육서『엄마는 도트박사 아이는 수학천재』

안개비

눈 내리는 계절 끝자락
실연당한 눈에 맺히듯
흐릿한 이슬 가득한 날

천지가 마음 아는 듯
하늘은 안개비
술잔 위로 내리고

노포 창가를 바라보는
사내의 가슴에
뚝뚝 떨어지는 빗방울

초승달

엊그제 탐스럽게
서녘으로 저물더니

서아프리카 하늘
배고픈 아이들 꿈 채워 주곤
오늘은 내 머리 위
어린 왕자의 돛단배로 온
초승달

꿈 키워주느라
하늘바다 항해하느라
문신한 누이 눈매처럼
야윈 듯 가지런히 흐르는
초승달

밤 그림자 오르내리는 산맥
기러기도 잠든 항구의 고요
윤슬에 드러난 대양의 잔물결
반딧불이 같은 도시 풍경

항해사의 꿈 들려주러
동아줄 타고 내게로 오는
초승달

마곡사 예찬

마곡천 태극 삼아
태화산 깊은 명당에
터 잡은 산지 승원 마곡사
천년고찰 여기뿐 아닐진대

산 구름 나무 아름다운 반영
마곡천 맑은 물에
세월만큼 담긴 까닭일까
잠잠히 정돈되는 기운

생활이 부처였던 사람들
불가와 세속을 오가며
함부로 걷지 마라 깨달은
김구 선생의 얼

마곡사 5층 석탑
천년의 세월
두 손 모아 올린 기도
오늘도 마곡천에 흐른다.

붕어섬의 봄날

봄 처녀 날 잊은 듯
벌써 햇살 익어갈 즈음
붕어섬 튤립 수선화
송송이 다가온 반가움

작약은 수줍은 듯
흙 풀더미에 숨을 즈음
옥정호 드라이브길 벚꽃
벌써 호수 건너 그리움

하늘로 두 손 모은
붕어섬 출렁다리 탑
봄 처녀 잉태의 꿈
손잡아 출렁거리는 두 사람

천국의 시선

밭일하던 농부
가진 것 다 팔아
보화 묻힌 밭을 사는 일
희망을 품는 것

값을 아는 장사꾼
가진 것 다 팔아
값진 진주를 사는 것
기쁨을 안는 일

밭의 보화
값진 진주
천국이라 한 뜻
읽어야 하나니

희망이 천국이다.
기쁨이 천국이다.

다시 봄

들려올 때
쓸 때
뭉클하고
눈물날 것 같은
말들이 있다.

고마워
미안해
참 좋아
사랑해
행복해

봄도 그렇다.
다시 봄이다.

이팝나무 단상1

돌이켜 보니
보릿고개 건너던 때였어

가을 내내
솔방울 땔감 주워
봄날 주울 것 없는데
뒷동산으로 오르던 봄날

뱃속에선 꼬르륵
이팝나무꽃 눈부시게 하얀빛
고봉으로 얹은
쌀밥처럼 보이던 날

세상사 무어냐는 듯
파란 하늘 흰 구름
어지러웠지

에필로그

우리가 보지 못하는 것을 본다는 것은 가까이 다가서야 볼 수 있습니다. 어떤 이는 가까이 다가가면 보이는 것을 볼 수 없다고 합니다. 그것은 포기입니다.

기다림과 느낌과 쉼의 공간을 통해서 다가가면 가능하다고 봅니다. 우리가 살면서 내려놓지 못하고 비우지 못하는 것들을 비움의 지혜로 살아갈 때 사랑으로 보고 듣고 느끼고 말할 수 있을 때 표현이 생깁니다.

이번 아름다운 마음을 소유하신 11인 시인을 통해서 11색의 마음을 보았습니다. 각자가 또 다른 색으로 세상을 살아가면서 아름다운 무지개 같은 보이지 않는 세상을 보여주셨습니다.

마음 깊은 곳에 내포된 감정과 그리움 들을 오월의 초록들 사이로 쫙 펼쳐놓을 수 있다는 것은 여간 아름다운 세상이 아닐 수 없습니다.

저희가 시를 쓴다고 달려들었던 초창기는 바짝 긴장되기도 했지만, 우리를 멋진 시인의 길로 길잡이 해주신 박종규 교수님의 희생으로 이렇게 11명의 시인이 뜻을 모아 시인의 마음을 펼칠 수 있다는 것은 모두가 한결같이 감사할 뿐일 것입니다.

이번 시집은 바로 은사 시인님이신 박종규 교수님께 올리는 소중한 헌사이기도 합니다.

우리는 어엿한 대한민국 예술인이자 자부심을 지니게 된 문학 시인입니다. 틈나는 대로 보이는 것을 가까이서 당겨보시고 표현을 게을리하지 마시고 모두가 영혼이 숨 쉬는 소박한 표현을 하는 멋진 시인이 되실 것을 믿습니다.

감사합니다.

2024년 6월
11인의 〈아세시〉를 대표하여 청운 전병덕 씀

시는 사랑을 써요

발　행 | 2024년 06월 28일
저　자 | 아세시 11인 공저
펴낸이 | 한건희
펴낸곳 | 주식회사 부크크
출판사등록 | 2014.07.15.(제2014-16호)
주　소 | 서울특별시 금천구 가산디지털1로 119 SK트윈타워
A동 305호
전　화 | 1670-8316
이메일 | info@bookk.co.kr
ISBN | 979-11-410-9161-3

www.bookk.co.kr